恐龙公交车

黄宇／著　［新西兰］罗丝·金奈尔德／绘

中国少年儿童新闻出版总社
中国少年兒童出版社
北　京

多多每天都要坐公交车上学。
公交车方方正正的，行驶在马路上。

5路

这天早上，当多多来到公交车站时，意想不到的事情发生了——

那辆方方正正的公交车不见了，出现在多多面前的，是一只恐龙！

5路

5

“你是谁？”多多吃惊地问道。

“我是公交车呀！”恐龙弯下脖子，冲他眨了一下眼睛。

“可你明明是恐龙啊！”

“上来试一下吧！”

多多鼓足勇气，
坐上了恐龙公交车。

嗷呜——巨大的吼声就是鸣笛，恐龙公交车上路了。别的汽车都赶紧停了下来，等着让它先通过。

5

“桃花源车站到了，请上车的乘客注意安全。”恐龙的声音粗粗的。等车的乘客都吓了一跳：“这是什么车呀？”

“大家别害怕,这是恐龙公交车。”多多安慰大家。

乘客们都登上了恐龙公交车。

不好，前方路口塞车了。

这可难不倒恐龙公交车，它迈开腿跨了两步，就从拥堵的汽车上跨了过去。

这一天，每一位乘客都很开心。

第二天，当多多来到公交车站时，意想不到的事情又发生了——出现在他面前的，不是恐龙，而是一只长颈鹿！

“你是谁？”多多问。

“我是公交车呀！”长颈鹿翻卷了一下舌头。

长颈鹿公交车好高呀！

乘客们高兴地摘着白云棉花糖，和天空中飘浮着的云朵大山一起玩。

第三天，等待多多的，
是一辆猎豹公交车。

“慢一点儿，慢一点儿！你超速了！”多多紧紧揪住猎豹的耳朵，大声喊道。

猎豹公交车太快了，每个人都像在坐过山车一样。

第四天，公交车一下子蹦到了多多的身边。原来，这是一辆袋鼠公交车。

5路

5路

袋鼠公交车蹦来蹦去，乘客们跟着一上一下。

“我们好像在玩蹦蹦床！”乘客们开心地大叫。

第五天，多多坐着一辆大蓝鲸公交车上路了。

5路

大蓝鲸公交车真帅啊，它还会喷水，天空中出现一道美丽的彩虹。

明天会是什么公交车呢？多多很期待。

图书在版编目（CIP）数据

恐龙公交车 / 黄宇著 ；（新西兰）罗丝·金奈尔德绘. — 北京 ：中国少年儿童出版社，2019.7
ISBN 978-7-5148-5511-1

Ⅰ. ①恐… Ⅱ. ①黄… ②罗… Ⅲ. ①儿童故事—图画故事—中国—当代 Ⅳ. ①I287.8

中国版本图书馆CIP数据核字(2019)第116260号

KONGLONG GONGJIAOCHE

出版发行：中国少年儿童新闻出版总社 中国少年兒童出版社
出 版 人：孙 柱
执行出版人：张晓楠

审　　读：林 栋 聂 冰
责任编辑：杜艳华 叶 丹
责任校对：华 清
封面设计：赫惠倩
美术编辑：赫惠倩
责任印务：刘 潋

社　　址：北京市朝阳区建国门外大街丙12号
邮政编码：100022
总 编 室：010-57526070
传　　真：010-57526075
客 服 部：010-57526258
发 行 部：010-59344289
网　　址：www.ccppg.cn
电子邮箱：zbs@ccppg.com.cn

印　　刷：北京利丰雅高长城印刷有限公司

开本：889mm×1194mm 1/16
印张：2.5
版次：2019年7月北京第1版
印次：2019年7月北京第1次印刷
字数：31千字
印数：5000册

ISBN 978-7-5148-5511-1
定价：35.00元

图书若有印装问题，请随时向本社印务部（010-57526183）退换。